D0506117

ISBN : 978-2-215-08370-2

Dépôt légal à la date de parution.
Conforme à la loi n ° 49-956 du 16 juillet 1949
sur les publications destinées à la jeunesse.
Imprimé en Italie (04-08)

Zoé et la coquetterie

Conception :
Jacques Beaumont
Texte :
Fabienne Blanchut
Images :
Camille Dubois

FLEURUS

GROUPE FLEURUS, 15-27, rue Moussorgski, 75018 PARIS
www.editionsfleurus.com

Zoé ne pense pas à être jolie
et soignée. Sentir bon et ressembler
à un bonbon, ah ça, non !

Mais quand elle devient une petite Princesse Parfaite, Zoé veut être propre et coquette. Elle adore être admirée de tous côtés.

Chaque matin,
Zoé évite
de se laver.
Sous la douche,
le savon,
pas touche !

Mais parfois Zoé
est une Princesse
Parfaite !
Elle adore
prendre un long
bain parfumé
pour se
préparer.

Saperlipopette !
Zoé,
encore
toute
mouillée,
a déjà
enfilé
une
chaussette !

Mais parfois
Zoé est une
Princesse
Parfaite !
Elle prend
le temps
de bien
se sécher. Pas
question de
dégouliner !

Pour s'habiller, Zoé ne se prend pas la tête !
Elle met son « survêt' » et ses baskets.

Mais parfois Zoé est une Princesse Parfaite !
Elle choisit une robe et des souliers assortis.

Zoé, pour être belle, met du gel.
Et surtout pas de barrettes sur la tête !

Mais parfois Zoé est une Princesse Parfaite !
Elle lisse ses cheveux et fait un joli chignon.

Devant son miroir, Zoé déforme
son visage avec d'affreuses grimaces.
La langue tirée, c'est la classe !

Mais parfois Zoé est
une Princesse Parfaite ! Pleine
d'élégance, elle fait la révérence.

Zoé met les doigts dans son nez.
Un mouchoir en dentelle, très peu pour elle !

Mais parfois Zoé est une Princesse Parfaite !
Même enrhumée, elle se mouche sans bruit.

Zoé met ses bottes en caoutchouc.
Sauter dans la boue,
c'est marrant comme tout !

Mais parfois Zoé est une Princesse Parfaite ! Lorsqu'il pleut, elle reste accrochée à son parapluie bleu.

Sous le préau, Zoé se bagarre avec Edgar
ou joue à chat avec Nicolas.

Mais parfois Zoé est une Princesse Parfaite !
Elle joue au cerceau et parfois avec son Yo-Yo.

Quand Zoé a rendez-vous, elle met
une jolie robe, des bijoux et même
du « sent-bon »... Pour Gaston,
Zoé est toujours
une Princesse Parfaite.
À quatre ans, on est sérieuse
quand on est amoureuse !